卵・乳製品・白砂糖を使わない
体にやさしいおやつ

まいにち食べたい
ヴィーガンスイーツ

今井ようこ

VEGAN SWEETS

JN223291

私 が植物性の材料だけのお菓子をなぜ作り続けているのか、今回、改めて考える機会をいただいた気がします。

そもそも病気の友人に食べてもらいたいお菓子を、お菓子に携わっている自分が作れなかったもどかしさが、今も忘れられないから。

そして、もうそれができないから。

センチメンタルになるのは私らしくないし、好きじゃない。

きっと、ただ単に負けず嫌い気質の、できなかった悔しさだけだと思うのです。

でもそれが、ヴィーガンの中でも、動物性の材料を一切使わずにお菓子を作り続けている理由だと、改めて感じています。

ヴィーガンといってもさまざまな考え方があるので、ときに卵、バターを使うレシピもあるかと思います。でも、作るなら、体に負担なく食べられるものがいいと常々思っています。

最近では、いろいろなアレルギーや食事制限があって、いわゆる〝普通のお菓子〟を食べられない方々から「おいしい!」「家で作れる!」と喜んでもらえると、こういうレシピを作っていてよかったなーと、私自身とてもうれしく、励みをいただいています。

この本のほとんどのお菓子が、大きめのボウルや容器に材料を入れて混ぜるだけで手軽に作れます。混ぜ方にコツのいるものもありますが、慣れれば、生地のやわらかさや質感を自分で調整でき、自分好みのお菓子ができ

ます。そうすると、ちょっと自分がお菓子作りに手慣れている感じにも思えて、手作りすることへのハードルも下がる気がします。

レシピが頭に入れば、さほど時間もかからずできるものも多く、お菓子作りが得意な気分にもなってきます!

なによりうれしいのは、手作りのヴィーガンスイーツは体にやさしいこと。

シンプルな材料で、余計なものが入らない。

そして材料も、体にあまり負担がかからないものを選んでいるので、安心して食べられるのではないかと思います。

バターや卵のようにリッチな風味はないけれど、その分満足感が出るように工夫し、素材を生かしたレシピにしています。

また、地味に思われがちなヴィーガンスイーツですが、本書ではシンプルにそのまま食べる以外にも、少しデコレーションをして華やかに見せるアイディアも提案しています。焼きっぱなしもシンプルでよいけれど、ほんの少しの飾りつけや盛りつけで、気分も風味も華やかに変わります!

自分が食べたいとき、誰かにプレゼントしたいとき、そのときどきで体の声に耳を傾けながら作るヴィーガンスイーツ。これから、お菓子作りをするときのセレクトに「ヴィーガン」も入れていただけたら、とてもうれしいです。

今井ようこ

INTRODUCTION

はじめに

PROLOGUE
植物性の材料だけで、すごくおいしい。

ヴィーガンスイーツを作りましょう。
食べましょう。

プラスひと手間で
リッチなヴィーガンスイーツに。

CONTENTS

目次

・小さじ1＝5㎖、大さじ1＝15㎖です。

・ハンドブレンダーがない場合は、ミキサーやすり鉢などで代用してください。

・打ち粉の必要がないため、生地を扱うときはオーブンシートの上で作業をする作り方が多いのですが、ご自身の作業しやすいスペース、方法で行ってください。

・オーブンの温度と焼き時間は目安です。メーカーや機種によって予熱にかかる時間、焼き時間、焼き目のつく位置などに差が生じることがありますので、お使いの機種の特徴に合わせ、様子を見ながら調節してください。なお、本書は電気オーブンを使用しています。ガスオーブンの場合も同じ温度と焼き時間を目安にして焼いてください。

この本で紹介するヴィーガンスイーツは、卵、バター、
乳製品を使わず、植物性の材料だけで作ります。
＊マークの商品は下記取り扱い店にて通販で購入できます。

＊ 取り扱い店：TOMIZ（富澤商店）
製菓・製パン材料のほか、ナチュラルな食材も豊富に扱う材料と道具の専門店。
https://tomiz.com/

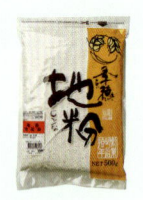

全粒中力粉

全粒粉にも、薄力粉・中力粉・
強力粉があり、本書では、「中力
粉」を最も多く使用しています。
全粒粉でなく精白した中力粉で
もOK。商品の「地粉」はその土
地で作られた粉という意味。

全粒薄力粉 ＊

全粒中力粉と同じく、ふすまや
胚芽を残して製粉したオーガ
ニックの薄力粉。ミネラルや繊
維が豊富。中力粉に比べてグル
テンが少なく、粘りが弱い。
「有機JAS　全粒薄力粉」680g

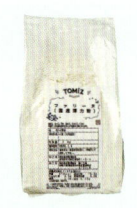

薄力粉 ＊

北海道産100％の菓子用薄力
粉「ファリーヌ」（江別製粉）を使
用。強力粉や中力粉とは成分
が異なるので、薄力粉指定のレ
シピには薄力粉を。
「ファリーヌ（江別製粉）」1kg

てんさい糖 ＊

北海道産のてんさい（ビート）
100％の砂糖。色が薄く、溶け
やすい粉末タイプを選びましょ
う。クセがなく、まろやかな甘さ
が特徴です。
「ビート糖（粉末タイプ）」600g

メープルシロップ

カナダの楓から採取した樹液を
煮詰めて作られた天然の甘味
料。琥珀色のシロップは、えぐみ
がなく、すっきりとした甘み。お
菓子はもちろん、料理にも砂糖
の代わりに使うことができます。

米飴

国産米を原料にし、日本古来
の伝統製法で大麦麦芽のみを
使ってゆっくりと糖化させた天
然甘味料。くせのない穏やかな
甘さとなめらかな口当たり。保
水性が高いのも特徴です。

ゲランドの塩 ＊

フランス・ゲランドの塩田で作ら
れた顆粒タイプの塩。太陽の光
と風の力だけで乾燥させて粗
塩にし、さらに顆粒に。まろやか
な味わいです。
「ゲランドの塩（顆粒）」1kg

ベーキングパウダー ＊

アルミニウム（みょうばん）不使
用タイプを使用。パウンドケーキ
やスコーンなど焼き菓子作りの
必需品。
「ラムフォード　アルミニウムフリー
ベーキングパウダー」114g

米油

新鮮な玄米ぬかと胚芽から生
まれた植物性オイル。国産原料
100％で製造され安心・安全で
す。摂取したあとの胃もたれも
少なく、クセがないので、お菓子
作りにも◎。

無調整豆乳

大豆固形分8％以上。大豆以外
に何も加えていない有機大豆
100％の豆乳を使用。ヴィーガ
ンのおやつには欠かせない材
料で、生地のゆるさやかたさの
調整にも使います。

豆乳ヨーグルト

豆乳を乳酸菌で発酵させた
ヨーグルト。乳製品不使用なの
で、ヴィーガンおやつの強い味
方。まろやかでコクのある味わ
いが特徴です。コレステロール
がゼロなのもうれしい。

アーモンドパウダー ＊

アーモンドプードルとも呼ばれま
す。皮つきタイプと皮なしタイプ
がありますが、本書では皮なし
タイプ（カリフォルニア産アーモン
ド）を使用。
「皮無アーモンドパウダー」100g

INGREDIENTS

基本の
道具

数は多くありませんが、お菓子作りに必要な道具はいくつかあります。
また、P.76からのデコアイディアを楽しむなら、
スプーンや口金などプラスαで道具を揃えると、素敵に仕上がります。

ボウル

大きめのボウルを用意すれば、生地を混ぜたり、泡立てたり、すべて1つですませられるレシピも。熱が伝わりやすく丈夫な、ステンレス製がおすすめ。

泡立て器

混ぜたり泡立てたりするときに、ボウルとセットで使います。ワイヤーのふくらみがある程度大きく、持ったときに手になじむものを選んでください。

デジタルスケール

お菓子作りは計量が肝心です。正確に量るために、できれば0.5g単位で量れる電子スケールを準備しましょう。

計量スプーン・
計量カップ

計量スプーンは15㎖（大さじ）、5㎖（小さじ）、計量カップは200㎖（1カップ）を基本的に使用します。形や素材は自分が使いやすいものでもOK。

ゴムべら

生地を混ぜたり、集めるときに使います。少量の材料を混ぜるときは、小さめのものがあると便利。ゴムに弾力があってしっかりとしなるものが◎。

めん棒

生地を均一にのばすときに使用。両サイドが細くなっているものではなく、同じ太さで長さ25cm程度のものが使いやすいです。

ハンド
ブレンダー

豆腐クリームやアイスクリーム、プリンやブリュレをなめらかに攪拌します。鍋やボウルの中で作業ができるので便利です。

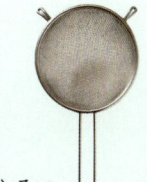

粉ふるい

粉類をふるう道具。いろいろなタイプがありますが、自分が一番使いやすいものを。目の細かいざるでも代用できます。

オーブンシート ＊

天板に敷いて生地を並べたり、使用頻度の高いアイテム。漂白していない未さらしタイプがおすすめです。
「茶色い紙のクッキングシート」
25cm×5m

グラシンカップ

マフィンやシナモンロール、モカロールを作るときに使用。マフィン型に敷いてから、生地を流し込みます。

型

左上から時計回りに、パウンド型、スクエア型、バット、マフィン型、丸型、タルト型、セルクル、木の葉型、ボート型。

*

植物性の材料だけで、
すごくおいしい。

VEGAN BAKE

バターも卵も使わないのに豊かな焼き菓子

クッキーやマフィンなどの焼き菓子も植物性の材料だけで作れます。
秘密は、絶妙な配合。ナッツ類や木綿豆腐のコクやうまみ、自然な水
分や食感を組み合わせ、バターや卵を使うお菓子と変わらない味と
食感に仕上げます。

VEGAN COOL SWEETS

アイスもOK！
ひんやり冷菓

麹から生まれる甘酒の自然な甘みやうまみを生かしたアイス、豆乳やココナッツミルクのコクを生かしたプリンやブリュレなど、ひんやりスイーツもヴィーガンでいろいろ作れます。季節のフルーツはヴィーガンレシピの強〜い味方です。

VEGAN QUICHE

お豆腐で作るヘルシーキッシュ

卵や生クリームで作るフランスの郷土料理を〝豆腐〟を
使ってアレンジ。もちろん、キッシュ台にもバターや卵を
使用していません。ヘルシーで食べごたえも抜群なの
で、ティータイムにはもちろん、朝食にもおすすめ。

VEGAN CREAM CAKES

クリームたっぷりの
デコレーションも

クリームたっぷりのヴィーガンスイーツもいっぱい。生クリームの代わりは、豆腐クリーム。メープルシロップでやさしい甘みを加え、焼き菓子にデコレーションしてもOK。罪悪感の少ないリッチなお菓子の完成です。

ヴィーガンスイーツを
作りましょう。
食べましょう。

ヴィーガンスイーツといっても、作り方はとってもシンプル。初めて
ヴィーガンのお菓子にチャレンジする方も、ふだんから作っている方
も、まずは今日の自分の体の声をきいて、そして食べさせたいあの人
のことを想像して、さっそくヴィーガンスイーツを作りましょう。そして
食べましょう。ねえ、今日は何にする？

番茶とくるみのスコーン

茶葉のほろ苦い味わいがクセになる和風スコーン。くるみは味、食感ともにアクセントに。

材料 直径約5cmのスコーン5〜6個分

A
- 全粒中力粉 … 150g
- てんさい糖 … 40g
- 番茶の葉 … 大さじ2
- ベーキングパウダー … 小さじ1
- 塩 … ひとつまみ
- くるみ … 40g
- 植物油 … 大さじ3
- メープルシロップ … 大さじ2
- 豆乳ヨーグルト … 大さじ2

準備

- Aの番茶の葉はすり鉢で細かくする。
- くるみは130〜140℃のオーブンで
  約10分ローストし、粗く刻む。
- 天板にオーブンシートを敷く。
- オーブンは170℃に予熱する。

作り方

1. ボウルに準備したAの番茶の葉と残りのAを入れ、手で均一に混ぜる（a、b）。

2. 植物油を入れ（c）、片手の指先を広げて円を描くように混ぜる（d）。そぼろ状になってきたら、両手でかたまりをなくすようにほぐしながら混ぜる（e）。

3. 準備したくるみを入れてざっと混ぜ、メープルシロップを入れて（f）混ぜる。豆乳ヨーグルトを入れ（g）、大きく混ぜてまとめる。

⚑ 生地を無理やりまとめようとしないのが、スコーンをおいしく作るコツ。まとまりづらい場合は、豆乳ヨーグルト少々（分量外）を少しずつ足す（h）。逆に手にベトベトつく場合は、全粒中力粉少々（分量外）を足しながら調整する。

4. 生地がまとまったら（i）、ボウルの中で5〜6等分する。

5. 手で軽く丸め、焼いたときに生地同士がくっつかないように間をあけ、天板に並べ（j）、170℃のオーブンで約20分焼く。

⚑ やけどに注意してスコーンの底を指で触わり、弾力があれば焼き上がり。

6. 網にのせて粗熱をとる。

レーズンスコーン

材料のレーズン煮の代わりに、クランベリーマリネやアプリコットマリネ (ともにP.27) や、
好みのドライフルーツでアレンジするのもおすすめ。

材料 直径約5cmのスコーン5〜6個分

- レーズン煮 → P.27 … 40g

A
- 全粒中力粉 … 75g
- 薄力粉 … 75g
- てんさい糖 … 30g
- ベーキングパウダー … 小さじ1
- 塩 … 少々
- 植物油 … 大さじ3
- 豆乳ヨーグルト … 50g
- グラニュー糖 (てんさい100%) … 適量

準備

- レーズン煮は汁けをきる。
- 天板にオーブンシートを敷く。
- オーブンは170℃に予熱する。

作り方 P14の写真a〜jも参照

1. ボウルに A を入れ、手で均一に混ぜる。

2. 植物油を入れ、片手の指先を広げて円を描くように混ぜる。そぼろ状になってきたら、両手でかたまりをなくすようにほぐしながら混ぜる。

3. 準備したレーズン煮を入れてざっと混ぜ、豆乳ヨーグルトを入れて大きく混ぜ、こねないようにまとめる。

🚩 生地を無理やりまとめようとしないのが、スコーンをおいしく作るコツ。まとまりづらい場合は、豆乳ヨーグルト少々 (分量外) を少しずつ足す。逆に手にベトベトつく場合は、全粒中力粉または薄力粉少々 (分量外) を足しながら調整する。

4. 生地がまとまったら、ボウルの中で5〜6等分する。

5. 手で軽く整え、焼いたときに生地同士がくっつかないように間をあけ、天板に並べる。全体にグラニュー糖をふり (a)、170℃のオーブンで18〜20分焼く。

🚩 やけどに注意してスコーンの底を指で触わり、弾力があれば焼き上がり。

6. 網にのせて粗熱をとる。

チョコとレモンのスコーン

見た目はチョコチップスコーンですが、口に運ぶと、ふわりとさわやかなレモンの香りがします。

材料 直径約12cmのスコーン1台分

- チョコレート（またはチョコチップ）… 40g
- レモンの皮（すりおろし）… 1個分
- A
  - 全粒中力粉 … 75g
  - 薄力粉 … 75g
  - てんさい糖 … 30g
  - ベーキングパウダー … 小さじ1
  - 塩 … ひとつまみ
- 植物油 … 大さじ3
- 無調整豆乳 … 40ml

準備

- チョコレートは大きければ刻む。
- オーブンは170〜180℃に予熱する。

作り方 作り方1〜3はP.14の写真a〜hも参照

1. ボウルにAを入れ、手で均一に混ぜる。

2. 植物油を入れ、片手の指先を広げて円を描くように混ぜる。そぼろ状になってきたら、両手でかたまりをなくすようにほぐしながら混ぜる。

3. チョコレート、レモンの皮を入れてざっと混ぜ、豆乳を入れ、大きく混ぜてまとめる。

> ⚑ 生地を無理やりまとめようとしないのが、スコーンをおいしく作るコツ。まとまりづらい場合は、豆乳少々（分量外）を少しずつ足す。逆に手にベトベトつく場合は、全粒中力粉または薄力粉少々（分量外）を足しながら調整する。

4. 生地がまとまったら、オーブンシートの上に取り出し、直径約12cm、厚さ約2.5cmの円形に整える（a）。オーブンシートが切れないよう包丁で6等分し（b）、シートごと天板にのせ（c）、170〜180℃のオーブンで20〜25分焼く。

> ⚑ やけどに注意してスコーンの底を指で触わり、弾力があれば焼き上がり。

5. 網にのせて粗熱をとる。

チーズケーキ風
プレーン
→ P.22

チーズケーキ風
りんご入り
→ P.23

チーズケーキ風
プレーン

チーズ風の味わいは、水きりヨーグルトによるもの。
食べたい日の前日に水けをきっておきましょう。

材料 直径7.5cmのマフィン型6個分

・豆乳ヨーグルト … 600g
・てんさい糖 … 40g
・メープルシロップ … 大さじ2
・カシューナッツ … 30g
・アーモンドプードル … 25g
・コーンスターチ … 15g
・白みそ … 大さじ1
・レモン汁 … 大さじ4
・ココナッツオイル … 大さじ1½
・バニラビーンズ … 3cm
・葛粉 … 10g

準備

・ペーパータオルを敷いたざるをボウルに重ね、
　豆乳ヨーグルトを入れる。ひと晩おいて300gくらいに
　なるまで水きりをする(a)。
・型に正方形(約12×12cm)に切ったオーブンシートを敷く(b)。
・オーブンは160℃に予熱する。

作り方

1. ボウルに準備した豆乳ヨーグルトと他のすべての材料
　 を入れ、ハンドブレンダーでなめらかになるまで攪拌す
　 る(c、d)。型に流し入れる(e)。

2. 160℃のオーブンで20分焼き、温度を200℃に上げて
　 5分焼く。型ごと網にのせて粗熱をとり、型からはずす。

a　b　c　d　e

チーズケーキ風
りんご入り

豆腐入りなのでチーズケーキ風 プレーン (P.22) より、
ややあっさりしていてヘルシー！

材料 直径15cmの丸型（底が抜けるタイプ）1台分

- りんご煮 → P.27 … 150g

A
- 豆乳ヨーグルト … 600g
- 湯きり豆腐 → P.62の作り方1~4 … 100g
- てんさい糖 … 40g
- メープルシロップ … 大さじ3
- カシューナッツ … 50g
- 葛粉 … 15g
- コーンスターチ … 15g
- 白みそ … 大さじ1
- レモン汁 … 大さじ4
- ココナッツミルク … 大さじ2
- 基本のクランブル → P.26 … ½量
- てんさい糖 … 適量

準備

- りんご煮は汁けをきる。
- ペーパータオルを敷いたざるをボウルに重ね、Aの豆乳ヨーグルトを入れる。ひと晩おいて300gくらいになるまで水きりをする。
- 基本のクランブルはオーブンシートを敷いた天板に広げ、180℃のオーブンで7〜10分焼く。
- 型にオーブンシートを敷く。
- オーブンは160℃に予熱する。
- てんさい糖はすり鉢で細かくなるまですって粉糖を作る。

作り方

1. ボウルに準備したAの豆乳ヨーグルトと残りのAを入れ、ハンドブレンダーでなめらかになるまで攪拌する(a)。

2. 型に1の生地を¼量くらい流し入れ、準備したりんご煮を並べる(b)。

 ⌐ 真ん中を避けてりんごを並べると切り分けやすい。

3. 残りの生地を流し入れ(c)、160℃のオーブンで40分焼く。型ごと網にのせて粗熱をとって冷蔵庫で冷やし、型からはずす。準備したクランブルを全体にのせて粉糖を茶こしでふり、食べやすく切る。

a b c

フルーツクリスプ

熱々でも、冷やしても、どちらもおいしい簡単スイーツ。旬のフルーツでオリジナルの組み合わせを楽しんで。

材料 12.5×8.5×高さ1.5cmの耐熱容器6個分

好みのフルーツ
- ・いちじく … 3個
- ・プラム（種を除く）… 3個
- ・キウイフルーツ … 2個
- ・バナナ … 2本
- ・コーンスターチ … 大さじ1〜2
- ・レモン汁 … 大さじ1

A
- ・オートミール … 20g
- ・アーモンドスライス … 20g
- ・メープルシロップ … 大さじ1
- ・基本のクランブル → P.26 … 全量

準備
- ・オーブンは180℃に予熱する。

作り方

1. キウイフルーツとバナナは皮をむき、いちじく、プラムはともに皮つきのまま、それぞれ食べやすい大きさに切る。ボウルに入れ、コーンスターチとレモン汁をふりかけてあえ、耐熱容器に均等に入れる。

2. ボウルにAを入れて混ぜ、クランブルを加えて混ぜ合わせる。1の上に広げて天板に並べる。

3. 180℃のオーブンでクランブルが色づき、フルーツがふつふつとするまで10〜15分焼く。型ごと網にのせ、粗熱をとる。

基本のクランブル

サクサクッとした食感と香ばしい風味をプラスしてくれるクランブル。
解凍せずにそのまま使うことができるので、まとめて作って冷凍保存しても。

材料 作りやすい分量

- 全粒薄力粉（または薄力粉）… 60g
- てんさい糖 … 30g
- アーモンドプードル … 30g
- 植物油 … 大さじ3

作り方

1. ボウルに粉類を入れて手で均一に混ぜる。

2. 植物油を加える。

3. 指先を広げて円を描くように、そぼろ状になるまで混ぜる。

4. ゴロゴロとした大きなかたまりがなくなるまで、様子を見ながら植物油少々（分量外）を少しずつ足して調整する。

5. 粉っぽさがなくなればOK！ クランブルの粒の加減はお好みで。

   ※ここでアーモンドスライスなどのナッツ類適量を加えてもよい。

| 保存A |
| 焼かずに |

保存容器や保存袋に入れ、できるだけ平たくして冷凍庫へ。2週間〜1カ月保存可能。

| 保存B |
| 焼いて |

作り方5のクランブルを、オーブンシートを敷いた天板に広げ、180℃のオーブンで7〜10分焼く。乾燥剤を入れた密閉容器に入れ、常温で約10日保存可能。

--- クランブルを使うお菓子 ---

チーズケーキ風
りんご入り
→ P.23

フルーツクリスプ
→ P.24

さつまいものタルト
→ P.64

サワーチェリー
クランブルマフィン
→ P.74

プラムのスクエアケーキ
→ P.98

フルーツ煮 & フルーツマリネ

ヴィーガンのおやつを作るときに欠かせないのが、フレッシュやドライのフルーツ。
煮たり、漬けたり、あえたりと、ひと手間加えてから使います。

フレッシュや缶詰のフルーツで

フレッシュや缶詰のフルーツにひと手間加えてケーキにイン。
華やかさとやさしい甘さがプラスされます。

りんご煮
作りやすい分量

鍋に底が隠れるくらいの水を入れ、皮つきのままで一口大に切ったりんごを入れる。メープルシロップ、レモン汁を入れて蒸し煮にする。りんごのまわりが透明になって水分がなくなるまで煮る（りんご1個につきメープルシロップ大さじ1、レモン汁大さじ½、6〜7分加熱が目安）。

→ P.23 チーズケーキ風 りんご入り

サワーチェリー煮
作りやすい分量

鍋にチェリー缶（缶汁ごと）、コーンスターチ少量を入れて軽く煮る。余分な水分がとび、とろみがつくことでアレンジがしやすくなる（チェリー缶100gにつきコーンスターチ大さじ1、3〜4分加熱が目安）。

→ P.74 サワーチェリークランブルマフィン

ラズベリーマリネ
作りやすい分量

フレッシュのラズベリーをアガベシロップ、レモン汁であえる。鍋に入れてラズベリーをつぶしながら、軽く火を入れてソース状にしてもよい（ラズベリー100gにつきアガベシロップ小さじ1、レモン汁小さじ1が目安）。

→ P.89 ココナッツケーキのデコアイディア

ドライフルーツで

ドライフルーツは軽く煮たり、洋酒に漬けたりしてやわらかくしてから使います。
スパイスやレモンの皮などで風味づけしても◎。好みの味を見つけて。

レーズン煮
作りやすい分量

鍋にレーズンを入れ、ひたひたの水と好みのスパイス（シナモン、八角など）を入れてさっと煮る。

→ P.16 レーズンスコーンなど

クランベリーマリネ
作りやすい分量

ドライクランベリーを浸かる程度の洋酒（グランマニエ、キルシュなど）に漬け、あればレモンの皮やバニラビーンズのさやで香りをつける。

→ P.84 クランベリーパウンドケーキ

アプリコットマリネ
作りやすい分量

ドライアプリコットを湯に30分〜1時間つけてふやかし、水けをきって浸かる程度のラム酒に漬ける。

→ P.96 抹茶とアプリコットのケーキ

３種のアイスボックスクッキー

形を整えたら、冷やして、包丁で切るだけ。一度にたくさんのクッキーが作れます。

カシューナッツと
こしょうのクッキー

おつまみにもなるスパイシーなクッキー。甘いクッキーと交互に食べたら、エンドレス！

材料 2×2×厚さ1cmのクッキー約30枚分

- カシューナッツ … 30g

A
- 薄力粉 … 100g
- てんさい糖 … 30g
- 黒こしょう … 小さじ⅓ (好みで調整)
- ローズマリー (フレッシュ) … 4〜5g
- ベーキングパウダー … 小さじ⅛ (0.5g)
- 塩 … 小さじ½

B
- 植物油 … 大さじ2
- 無調整豆乳 … 小さじ4

準備

- カシューナッツは130〜140℃の
オーブンで約10分ローストし、粗く刻む。
- Aのローズマリーは枝から葉を
しごき取り、細かく刻む。
- 天板にオーブンシートを敷く。
- オーブンは160℃に予熱する。

作り方

1. ボウルに準備した A のローズマリーと残りの A を入れ、ゴムべらで均一に混ぜる。

2. よく混ぜた B を加え、切るように混ぜる。粉けが少し残っている状態で準備したカシューナッツを入れて混ぜ(a)、ひとまとめにする(b)。

> ⚑ 生地を無理やりまとめようとしないのが、クッキーをおいしく作るコツ。まとまりづらい場合は、豆乳少々 (分量外) を少しずつ足す。逆に手にベトベトつく場合は、薄力粉少々 (分量外) を足しながら調整する。

3. ボウルの中で生地を2等分し、それぞれを広げたラップにのせる。約 2 cm角、15 cm長さの棒状にし、カードや包丁の背などで形を整え、ラップで包む(c、d)。冷蔵庫で 2 時間以上 (または冷凍庫で1時間程度) 冷やす。

4. 3を 1 cm厚さに切り(e)、焼いたときに生地同士がくっつかないように間をあけて天板に並べ(f)、160℃のオーブンで20〜23分焼く。表面を爪で触って、かたければ焼き上がり。オーブンシートごと網にのせて粗熱をとる。

アーモンドクッキー

たっぷりアーモンド入り！ ザクザクした食感が最高です。

材料 2×5×厚さ1cmのクッキー約20枚分

- ・アーモンド … 50g
- A
  - ・薄力粉 … 100g
  - ・アーモンドプードル … 20g
  - ・きび砂糖 … 30g
  - ・ベーキングパウダー … 小さじ⅛ (0.5g)
  - ・塩 … ふたつまみ
- B
  - ・植物油 … 大さじ3
  - ・無調整豆乳 … 大さじ2

準備

- ・アーモンドは130〜140℃のオーブンで約10分ローストし、粗く刻む。
- ・天板にオーブンシートを敷く。
- ・オーブンは160℃に予熱する。

作り方

1. カシューナッツとこしょうのクッキー→ P.30 の作り方1〜2の要領で生地をまとめる。カシューナッツの代わりにアーモンドを加える。

2. 広げたラップに1をのせ、約2×5cm角、20cm長さの棒状にし、カードなどで形を整え、ラップで包む(a)。冷蔵庫で2時間以上（または冷凍庫で1時間程度）冷やす。

3. 2を1cm厚さに切り(b)、焼いたときに生地同士がくっつかないように間をあけて天板に並べ(c)、160℃のオーブンで15分、温度を150℃に下げて10分焼く。表面を爪で触って、かたければ焼き上がり。網にのせて粗熱をとる。

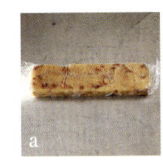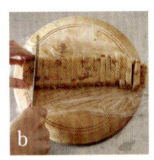

チョコチップとヘーゼルナッツのクッキー

カルダモンとシナモンが香る、ちょっと大人なスパイスクッキー。

材料 1辺が6cmの三角形のクッキー約18枚分

- ・チョコチップ … 30g
- ・ヘーゼルナッツ … 30g
- A
  - ・薄力粉 … 100g
  - ・アーモンドプードル … 20g
  - ・きび砂糖 … 30g
  - ・カルダモンパウダー … 小さじ⅓
  - ・シナモンパウダー … 小さじ⅓
  - ・ベーキングパウダー … 小さじ⅛ (0.5g)
  - ・塩 … ふたつまみ
- B
  - ・植物油 … 大さじ3
  - ・無調整豆乳 … 大さじ2

準備

- ・ヘーゼルナッツは130〜140℃のオーブンで約10分ローストし、粗く刻む。
- ・オーブンは160℃に予熱する。

作り方

1. カシューナッツとこしょうのクッキー→ P.30 の作り方1〜2の要領で生地をまとめる。カシューナッツの代わりにチョコチップ、準備したヘーゼルナッツを加える。

2. オーブンシートに1をのせ、手で平らにならす(a)。めん棒で上から押すようにしながら(b)、約18×18cmになるように1cm厚さにのばす(c)。そのまま冷蔵庫で2時間以上（または冷凍庫で1時間程度）冷やす。

3. 6×6cmになるように9等分に切り、さらに斜めに切れ目を入れて三角形に切る(d)。

4. 天板に3をオーブンシートごとのせ、焼いたときに生地同士がくっつかないように間をあける。160℃のオーブンで15分、温度を150℃に下げて10分焼く。表面を爪で触って、かたければ焼き上がり。網にのせて粗熱をとる。

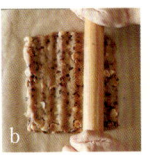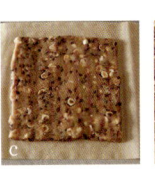

ジンジャーソフトクッキー

ふんわり軽くてしっとりしたチョコクッキー。パンの食感にも少し似ています。

材料 直径4〜5cmのクッキー約16枚分

A
- 薄力粉 … 150g
- ブラウンシュガー … 30g
- アーモンドプードル … 20g
- シナモンパウダー … 小さじ1
- ベーキングパウダー … 小さじ½
- 塩 … 小さじ¼

B
- カカオマス（またはチョコレート）… 50g
- りんごのすりおろし … 50g
- しょうがのすりおろし … 20g
- メープルシロップ … 大さじ2
- 無調整豆乳 … 大さじ2
- ココナッツオイル … 大さじ2
- チョコレートチャンク … 35g
- グラニュー糖（てんさい100%）… 適量

準備

- Bのカカオマスは湯せんにかけて溶かす。
- 天板にオーブンシートを敷く。
- オーブンは170℃に予熱する。

作り方

1. ボウルに準備したBのカカオマスと残りのBを入れ、ゴムべらでなめらかになるまで混ぜる（a）。

2. よく混ぜたAを加え（b）、さっくりと混ぜ合わせてまとめる（c）。ボウルの中で16等分（1枚25〜30g）して手で丸める。焼いたときに生地同士がくっつかないように間をあけて天板に並べる。

3. 生地の上を軽く押さえてくぼませ、チョコレートチャンクをのせ（d）、グラニュー糖を全体にふる（e）。

4. 170℃のオーブンで20〜25分焼く。オーブンシートごと網にのせ粗熱をとる。

シンプルクッキー

このクッキーなら毎日食べたい！ 飽きのこない素朴な味わいです。

材料 直径約5cmのクッキー15枚分

A
- ・全粒薄力粉 … 25g
- ・薄力粉 … 25g
- ・アーモンドプードル … 25g
- ・てんさい糖 … 3〜4g
- ・塩 … ひとつまみ

B
- ・メープルシロップ … 大さじ1½
- ・植物油 … 大さじ1

準備

・オーブンは170℃に予熱する。

作り方

1. ボウルにAを入れ、ゴムべらで均一に混ぜる。

2. よく混ぜたBを加え、切るように混ぜて四角くひとまとめにする。

> 生地がまとまりづらい場合は、無調整豆乳少々（分量外）を少しずつ足して調整する。

3. オーブンシートの上にのせ、約3mm厚さの長方形にのばす。やわらかい生地なので、はじめはめん棒で上から押さえるように広げ(a)、徐々にめん棒を転がすようにしてのばす(b)。オーブンシートごと、90°ずつ回転させながらのばすと均一に広がる(c)。

4. 型で抜き(d)、余分な生地ははずす(e)。すき間の生地は竹串などを使って取る(f)。カードなどを使って生地と生地の間を少しずつあけて、焼いたときにくっつかないように並べる。

5. オーブンシートごと天板にのせ、170℃のオーブンで約15分焼く。網にのせて粗熱をとる。

※残った生地は「2番生地」として同様にまとめ、型抜きをする。

アレンジレシピ

シンプルクッキーが温かいうちにキャロブチップ適量をはさむと、チョコサンド風クッキーに。クッキーの熱でキャロブチップがやわらかくなります。

りんごの練り込みパイ
→ P.38

ブルーベリーの練り込みパイ
→ P.39

りんごの
練り込みパイ

甘くないパイ生地なので、りんご本来の甘みが際立ちます。
好みでパイ生地のてんさい糖を増やして甘みを加えても。

材料 直径約20cmのパイ1台分

A ・全粒中力粉 … 160g
　・片栗粉 … 30g
　・てんさい糖 … 30g
　・紅茶の葉 (アールグレイがおすすめ)
　　… 大さじ1
　・ベーキングパウダー … 小さじ¼
　・塩 … 小さじ¼
・ココナッツオイル … 大さじ5
・冷水 … 大さじ3

B ・りんご … 350〜400g (正味)
　・てんさい糖 … 大さじ1
　・コーンスターチ … 大さじ2
　・ラム酒 … 大さじ1
　・レモン汁 … 小さじ1
・グラニュー糖 (てんさい100%) … 適量

準備

・ココナッツオイルは冷やす。
・Bのりんごは縦4つ割りにして
　芯を取り、皮つきのままで
　縦5mm幅の薄切りにする。
・オーブンは190〜200℃に予熱する。

作り方

1. ボウルにAを入れ、準備したココナッツオイルを全体に
   散らすように入れ、カードで切るように混ぜる (a)。オイ
   ルのかたまりがなくなって生地がなじんだら、冷蔵庫で
   30分ほど冷やす。

2. 1に分量の冷水を加え (b)、手で大きく混ぜながらまとめ
   る (c、d)。

   ▷ 生地を無理やりまとめようとしないのが、パイをサクッと作るコツ。まとま
   りづらい場合は、冷水少々 (分量外) を少しずつ足しながら調整する。

3. オーブンシートに生地をのせ、めん棒で直径約30cm、
   5mm厚さの円形にのばす (e)。ときどき、オーブンシートご
   と回転させながらのばすと、均一に広がる。

4. 2のボウルについた生地をきれいにぬぐい、準備したB
   のりんごと残りのBを入れて混ぜる。

5. 3の生地の縁を5cmくらいあけて、4をのせる (f)。縁を
   少しずつ内側に折りたたむ (g)。

6. オーブンシートごと天板にのせ、内側にたたんだ生地に
   グラニュー糖をふり (h)、190〜200℃のオーブンで約
   30分焼く。オーブンシートごと網にのせ、冷ます。

ブルーベリーの
練り込みパイ

ラズベリーやブラックベリー、いちごなどでも同じように作れます。

材料 直径約20cmのパイ1台分

A
- ・全粒中力粉 … 160g
- ・片栗粉 … 30g
- ・てんさい糖 … 20g
- ・ベーキングパウダー … 小さじ¼
- ・塩 … 小さじ¼
- ・ココナッツオイル … 大さじ5
- ・冷水 … 大さじ3

B
- ・ブルーベリー (フレッシュ) … 300g
- ・てんさい糖 … 大さじ1
- ・コーンスターチ … 大さじ1
- ・レモン汁 … 小さじ1
- ・グラニュー糖 (てんさい100%) … 適量
- ・レモンの皮 … 適量

準備

- ・ココナッツオイルは冷やす。
- ・オーブンは190～200℃に予熱する。

作り方 P.38の写真a~hも参照

1. りんごの練り込みパイ → P.38 の作り方 **1～2** の要領でパイ生地をまとめる。

2. オーブンシートに生地をのせ、めん棒で直径約30cm、5mm厚さの円形にのばす。ときどき、オーブンシートごと回転させながらのばすと、均一に広がる。

3. 1のボウルについた生地をきれいにぬぐい、Bを入れて混ぜる。

4. 2の生地の縁を5cmくらいあけて、3の¾量をのせる。縁を少しずつ内側に折りたたみ、3の残りをのせる。

5. オーブンシートごと天板にのせ、内側にたたんだ生地にグラニュー糖をふり、190～200℃のオーブンで約30分焼く。オーブンシートごと網にのせ、冷ます。

6. レモンの皮をけずって散らす。

LEFT
シナモンロール
→ P.42

RIGHT
モカロール
→ P.43

シナモンロール

ピーカンナッツと一緒にレーズン煮（P.27）を加えても！

材料 直径7.5cmのマフィン型6個分

A
- ・全粒中力粉 … 200g
- ・てんさい糖 … 20g
- ・ベーキングパウダー … 小さじ2
- ・塩 … 小さじ⅛（0.75g）

B
- ・無調整豆乳 … 150mℓ
- ・植物油 … 大さじ5

- ・ブラウンシュガー … 大さじ2
- ・シナモンパウダー … 大さじ1
- ・ピーカンナッツ … 25g
- ・米飴 … 大さじ2
- ・基本のアイシング → P.43下 … 適量

準備

- ・ピーカンナッツは130〜140℃の
  オーブンで約10分ローストし、粗く刻む。
- ・型にグラシンカップを敷く。
- ・オーブンは180℃に予熱する。

作り方

1. ボウルにBを入れ、ゴムべらでよく混ぜる（a）。

2. よく混ぜたAを加えて混ぜる（b、c）。生地がまとまったら、ボウルの中で半分に分けて重ねる、を3〜4回くり返す（d、e）。

3. まな板に打ち粉（分量外）をして2をのせ、手指で約16×24cmの長方形に広げる（f）。

4. 全体にブラウンシュガー、シナモンパウダーをふり（g）、準備したピーカンナッツをのせ、米飴をかける（h）。

5. 手前からくるりと巻いて（i）、6等分に切り分ける。切り口を上にして型に入れる（j）。

6. 180℃のオーブンで約20分焼く。型ごと網にのせて粗熱をとる。型からはずし、スプーンでアイシングをかける。

モカロール

シナモンロールをコーヒー味にアレンジ。
てんさい糖をブラウンシュガーにすると、よりコク深い味わいに。

材料 直径7.5cmのマフィン型6個分

A ・全粒中力粉 … 200g
・ココアパウダー … 30g
・てんさい糖 … 20g
・ベーキングパウダー … 小さじ2
・塩 … 小さじ⅛ (0.75g)

B ・無調整豆乳 … 150ml
・植物油 … 大さじ5
・てんさい糖 … 大さじ2
・コーヒー粉 (粉末タイプ) … 大さじ1
・アーモンドスライス … 20g
・チョコレートチャンク … 20g
・米飴 … 大さじ2
・コーヒーアイシング → 下記※ … 適量

準備

・型にグラシンカップを敷く。
・オーブンは180℃に予熱する。

作り方 P.42の写真a~jも参照

1. シナモンロール → P.42 の作り方1~3の要領で生地を広げる。

2. 全体にてんさい糖、コーヒー粉をふりかける (a)。さらにアーモンドスライス、チョコレートチャンクをのせ (b)、米飴をかける (c)。

3. 手前からくるりと巻いて、6等分に切り分ける。切り口を上にして型に入れる。

4. 180℃のオーブンで約20分焼く。型ごと網にのせて粗熱をとる。型からはずし、スプーンでアイシングをかける。

基本のアイシングの作り方

材料 作りやすい分量

・てんさい糖 … 大さじ2
・水 … 小さじ1くらい

すり鉢でてんさい糖を細かくする (a)。ボウルに移し、分量の水を加えてスプーンで混ぜる (b)。かたいようなら、水 (分量外) をごく少量ずつ加えて混ぜる (c)。持ち上げたときに流れるくらいになったらOK (d)。湯せんにかけると、よりなめらかな仕上がりになる (e)。

※コーヒーアイシングなら、水の代わりにコーヒー粉小さじ1を同量の湯で溶いたものを、レモンアイシングならレモン汁を、それぞれごく少量ずつ加えて混ぜる。

さつまいもとココナッツのスープ

こっくり濃厚なアジア風デザートスープは、ホットでも、アイスでも。好みでシナモンをふって。

材料 3〜4人分

- ・さつまいも … 100g
- ・水 … 100㎖
- A
  - ・ココナッツミルク … 100㎖
  - ・無調整豆乳 … 100㎖
  - ・アガベシロップ（または米飴）
    … 小さじ2
  - ・メープルシロップ … 小さじ1
  - ・塩 … ふたつまみ
- ・くるみ、ココナッツチップス
  （ともに130〜140℃のオーブンで
  約10分ローストする）… 各適量

作り方

1. 鍋に皮つきのまま1㎝幅の輪切りにしたさつまいもと分量の水を入れ、やわらかくなるまで約10分煮て、水けを切ってボウルに入れる。

2. Aを加えハンドブレンダーでなめらかになるまで攪拌する。

🏳 ここで味と濃度を好みで調整する。甘みとコクはアガベシロップまたは米飴、メープルシロップ、ココナッツミルクのいずれか少々（各分量外）で加減し、とろみは豆乳または水少々（各分量外）で加減する。

3. 器に入れ、くるみ、ココナッツチップスを散らし、ココナッツミルク少々（分量外）をかける。

桃とトマトとミントのスープ

清涼感のあるミントが香るジューシーなスープ。しっかりと冷やしていただきます。

材料 約3〜4人分

- 桃 … 2個

A
- トマト（皮つきのままざく切り）… 200g
- オレンジジュース … 100㎖
- アガベシロップ（または米飴）
  … 大さじ2〜3
- ミント … 10〜15枚
- トマト（飾り用）… ½個
- ミント（飾り用）… 3〜4枚

作り方

1. ボウルにAを入れ、ハンドブレンダーでなめらかなスープ状になるまで攪拌する。ラップをし、冷蔵庫に入れて1時間以上冷やす。

2. 桃は皮をむいて一口大に切り、飾り用のトマトは1cm角に切る。

3. 器に1を入れ、2の桃を盛る。飾り用のトマトを散らし、ミントを飾る。

アプリコットココナッツバー

サクサクのクッキーの上に、具だくさんのジャム生地を重ねて。あんずの酸味がおいしい。

材料 18×18cmのスクエア型1台分

- アプリコットジャム（市販）… 100g
- A
  - 全粒薄力粉 … 100g
  - アーモンドプードル … 50g
  - てんさい糖 … 3〜4g
  - 塩 … ひとつまみ
- B
  - メープルシロップ … 大さじ3
  - 植物油 … 大さじ2
- C
  - ココナッツチップス … 50g
  - アーモンド … 30g
  - ココナッツオイル … 大さじ1
  - メープルシロップ … 大さじ1

準備

- C のアーモンドは粗く刻む。
- オーブンシートは型の形に合わせて折り目をつける。
- オーブンは170℃に予熱する。

作り方

1. ボウルに B を入れ、ゴムべらでなめらかになるまで混ぜる。

2. よく混ぜた A を加え、混ぜ合わせて四角くひとまとめにする。

   ▷ 生地がまとまりづらい場合は、無調整豆乳少々（分量外）を少しずつ足しながら調整する。

3. 準備したオーブンシートに生地をのせ、18×18cmの四角形にめん棒でのばす。やわらかい生地なので、はじめはめん棒で上から押さえるようにして広げ (a)、徐々にめん棒を転がすようにしてのばす。オーブンシートごと、90°ずつ回転させながらのばし、最後は指で生地の形を整える (b)。

4. 2のボウルについた生地をきれいにぬぐい、準備した C のアーモンドと残りの C を入れて混ぜる。

5. 3の生地をオーブンシートごと型に入れ、縁は指でなじませる (c)。フォークなどで全体に穴をあける (d)。

6. 170℃のオーブンで約15分焼き、型ごと取り出して網にのせる。ここでオーブンの温度を180℃に上げて予熱する。生地が熱いうちにアプリコットジャムを全体に広げてぬり (e)、4をのせる (f)。熱いので気をつけながら作業する。

7. 180℃のオーブンで約20分、焼き色がつくまで焼く。網にのせて粗熱をとり、型からはずして食べやすく切る。

チョコとオートミールのバー

ナッツとオートミールが香ばしい、栄養満点のバーです。

材料 18×18cmのスクエア型1台分

- ・チョコチップ … 100g
- A ・全粒薄力粉 … 100g
- ・アーモンドプードル … 50g
- ・ココアパウダー … 大さじ1½
- ・てんさい糖 … 3〜4g
- ・塩 … ひとつまみ
- B ・メープルシロップ … 大さじ3
- ・植物油 … 大さじ2
- C ・オートミール … 50g
- ・アーモンドスライス … 25g
- ・マカダミアナッツ (粗く刻む) … 30g
- ・ココナッツオイル … 大さじ2
- ・メープルシロップ … 大さじ2
- ・無調整豆乳 … 大さじ1

準備

- ・オーブンシートは型の形に合わせて折り目をつける。
- ・オーブンは170℃に予熱する。

作り方 作り方3〜6はP.46の写真a〜fも参照

1. ボウルにBを入れ、ゴムべらでなめらかになるまで混ぜる。

2. よく混ぜたAを加え、混ぜ合わせて四角くひとまとめにする。

🏳 生地がまとまりづらい場合は、豆乳少々 (分量外) を少しずつ足しながら調整する。

3. 準備したオーブンシートに生地をのせ、18×18cmの四角形にめん棒でのばす。やわらかい生地なので、はじめはめん棒で上から押さえるようにして広げ、徐々にめん棒を転がすようにしてのばす。オーブンシートごと、90°ずつ回転させながらのばし、最後は指で生地の形を整える。

4. 2のボウルについた生地をきれいにぬぐい、Cを入れて混ぜる。

5. 3の生地をオーブンシートごと型に入れ、縁は指でなじませる。フォークなどで全体に穴をあける。

6. 170℃のオーブンで約15分焼き、型ごと取り出して網にのせる。ここでオーブンの温度を180℃に上げて予熱する。生地が熱いうちにチョコチップを全体に散らし、4をのせる。熱いので気をつけながら作業する。

7. 180℃のオーブンで約15分、焼き色がつくまで焼く。網にのせて粗熱をとり、オーブンシートごと型からはずし、食べやすく切る。

黒ごまの豆乳寒天プリン

ごま＆豆乳のコクが濃厚でリッチな寒天デザート。
練りごまは粘度があるので、ゆっくりのばして。

材料 容量70mlのグラス6個分

A ・黒練りごま … 大さじ3
 ・米飴 … 大さじ3
・水 … 100ml
・メープルシロップ … 大さじ1
・粉寒天 … 小さじ1
・無調整豆乳 … 300ml
・クコの実 … 12粒

作り方

1. ボウルにAを入れ、ゴムべらでよく混ぜる。

2. 小鍋に分量の水、メープルシロップを入れ、粉寒天をふり入れる。中火にかけ、ゴムべらで混ぜながら煮る。沸騰したら弱火で1〜2分煮、豆乳を加え、再び中火にして沸騰する直前まで温める。

3. 1に2を少しずつ加え、そのつどゴムべらでのばす(a、b)。サラサラになったら、一気に加える(c)。

4. ボウルの底を氷水にあて、混ぜながらとろみが出るまで冷やす(d)。

5. グラスに入れて固め、クコの実を2粒ずつ飾る。

⚑ 寒天は常温でも固まるが、冷蔵庫で冷やしてから食べるとよりおいしくなる。

a b c d

アボカドのブリュレ

なめらか食感が魅力のヴィーガンブリュレ。アボカドは熟したものを使って。

材料 容量90㎖のココット6個分

- ・アボカド … 150〜180g（正味）
- A
  - ・ココナッツミルク … 400㎖
  - ・無調整豆乳 … 100㎖
  - ・てんさい糖 … 40g
  - ・製菓用米粉 … 40g
  - ・メープルシロップ … 大さじ4
- ・グラニュー糖（てんさい100%）… 適量

準備

- ・アボカドは種と皮を除いて
  分量分を用意する。

作り方

1. 鍋にAを入れ、ゴムべらで均一に混ぜる。

2. 中火にかけ、とろみがついてきたら弱火にして混ぜながら、2分ほど煮る。火からおろして冷ます。

3. ボウルに2を入れ、準備したアボカドを加え、ハンドブレンダーでなめらかになるまで攪拌する。ココットに流し入れ、冷蔵庫で1時間以上冷やす。食べる直前にグラニュー糖を薄くふり(a)、バーナーで焼き目をつける(b)。

ラズベリーのゼリー

フレッシュなラズベリーを使用した贅沢スイーツ。葛粉入りで、ややもっちりとした食感です。

材料　14.5×20.8×高さ4.4cm、
　　　容量800mlのバット1台分

- ラズベリー（フレッシュ）
  … 120g＋飾り用適量

A
- 無調整豆乳 … 350ml
- しょうが汁 … 大さじ1
- メープルシロップ … 大さじ2
- アガベシロップ … 大さじ2
- 葛粉 … 大さじ1
- 粉寒天 … 小さじ2
- バニラビーンズ … 3cm
- あればミント、ライムの皮 … 各適量

準備

- Aの葛粉は分量の豆乳適量で溶く。

作り方

1. 鍋に準備したAの葛粉と残りのAを入れ、ゴムべらで均一に混ぜる。

2. バニラビーンズはナイフで種をこそげ、さやと一緒に1に加え、中火にかける。沸騰しないように混ぜながら2〜3分煮る。

3. 粗熱がとれたらラズベリー120gを加え、空気を含ませるようにハンドブレンダーを上下に動かしながら撹拌する。

4. バットに流し入れ、ラップをして冷蔵庫で1時間以上冷やし固める。

5. 飾り用のラズベリー、あればミントを飾り、ライムの皮を散らす。食べやすい大きさに切る。

甘酒のアイス

麹から作られる甘酒がベース。ジェラートのような口当たりで、さっぱりと食べられます。
P.26の基本のクランブル 保存B をトッピングして、食感をプラスしても。

材料 作りやすい分量

プレーン	いちご	パイナップル
・甘酒（濃縮タイプ）… 250g	・甘酒（濃縮タイプ）… 250g	・甘酒（濃縮タイプ）… 250g
・豆乳ヨーグルト … 250g	・豆乳ヨーグルト … 100g	・豆乳ヨーグルト … 120g
・アガベシロップ … 大さじ2	・いちご … 200g	・パイナップル … 250g（正味）
・レモン汁 … 小さじ2	・アガベシロップ … 大さじ2	・アガベシロップ … 大さじ1

作り方 すべて共通

1. ボウルに材料をすべて入れ、ハンドブレンダーでなめらかになるまで撹拌する。

⚑ 好みに応じて、アガベシロップ少々（分量外）で甘みを足す。甘すぎる場合は、豆乳ヨーグルト少々（分量外）を足しながら調整する。

2. バットに流し入れてラップをし、冷凍庫で3時間以上冷やし固める。途中で何度か、ハンドブレンダーまたはスプーンで空気を含ませるように混ぜ、なめらかな口当たりに仕上げる。

プラスひと手間で
リッチなヴィーガンスイーツに。

焼きっぱなしのケーキたちはそのままでも十分に魅力的！ でも、
豆腐クリームをデコレーションしたり、アイシングをかけてみた
り、フルーツソースをちょっと添えるだけで、急によそゆきの顔に
変身します。ここからはそんな〝おめかし術〟を基本のレシピに加
えて紹介していきます。

フレッシュフルーツの
タルト
→ P.60

フレッシュフルーツの
タルト

柿とキウイフルーツをミックス。好みのフルーツをたっぷりのせて。

材料 直径18cmのタルト型（底が抜けるタイプ）1台分

- 好みのフルーツ（ここでは柿、
  キウイフルーツを使用）… 適量
A ・薄力粉 … 100g
  ・全粒薄力粉 … 20g
  ・てんさい糖 … 10g
B ・植物油 … 50ml
  ・無調整豆乳 … 30ml
C ・アーモンドプードル … 100g
  ・薄力粉 … 50g
  ・ベーキングパウダー … 小さじ⅓
  ・塩 … ひとつまみ
D ・メープルシロップ … 大さじ3
  ・植物油 … 大さじ2
  ・無調整豆乳 … 大さじ2
- 基本の豆腐クリーム → P.62 … 適量
- あればミント … 適量

準備

- 好みのフルーツは、それぞれ皮をむいて
  食べやすく切る。

作り方

1. ボウルにBを入れ、ゴムべらでよく混ぜる (a)。

2. よく混ぜたAを加え (b)、切るように混ぜる (c)。手で大きく混ぜながらまとめ、まとまりづらければ、豆乳少々（分量外）を少しずつ足しながらまとめる (d、e)。

🏳 生地を無理やりまとめようとしないのが、タルトをサクッと作るコツ。

3. オーブンシートに生地をのせ (f)、めん棒で直径約22cmの円形にのばす。ときどき、オーブンシートごと回転させながらのばすと、均一に広がる (g)。型よりもひと回り大きいくらいにのばすのが目安 (h)。

4. 生地をめん棒に巻きつけ、型を覆うように上にのせたら (i)、型に沿わせて指でおさえながら敷き込む (j)。余分な生地は型の上にめん棒をのせて転がし、切り取る (k)。

5. 型の縁は指をあてながら整え (l)、底は指で押しつける。フォークなどで全体に穴をあける (m)。ここでオーブンを180℃に予熱する。

6. 2のボウルについた生地をきれいにぬぐい、Dを入れてゴムべらでよく混ぜる (n)。均一に混ぜたCを加え (o)、さらに混ぜ合わせる (p)。

7. 5のタルト台に6を敷き詰め、ゴムべらなどで平らにならし (q)、180℃のオーブンで20〜25分焼く。型ごと網にのせて冷ます (r)。

8. 型からはずして皿にのせ、小さめのゴムべらで豆腐クリームをぬり (s)、準備した好みのフルーツをのせる (t)。あればミントを飾る。

基本の豆腐クリーム

生クリームの代わりに使える、豆腐で作るやさしい甘さのクリーム。
ヘルシーなので、たっぷり食べても罪悪感ゼロです。

材料 作りやすい分量

- 木綿豆腐 … 150g → 湯きり豆腐約130g分
- バニラビーンズ (ナイフで種をこそげ、さやは残す) … 1 cm
- メープルシロップ … 大さじ2〜3
- 塩 … ひとつまみ

作り方 作り方1〜4の手順で湯きり豆腐、3〜4の手順で水きり豆腐が作れる

1. 沸かした湯で、豆腐がゆらゆら揺れる程度の弱火で5分煮る。

2. ざるに上げて水けをきる。

3. 豆腐をペーパータオルではさみ、バットをのせ、重石 (瓶詰や缶詰など) をのせる。

4. 30分〜1時間おいたものは写真のようになる。

5. 計量カップなどに4とバニラビーンズの種を入れ、メープルシロップと塩を加える。

6. ハンドブレンダーで攪拌し、なめらかなクリーム状にする。

🏁 豆腐の水分量によってやわらかさが変わるので、豆乳少々 (分量外) を足して調整しながら仕上げる。メープルシロップも同様に、味をみながら加える。

※バニラビーンズのさやを入れ、半日〜1日おくとバニラの風味がなじむ。

——— 豆腐クリームを使うお菓子 ———

フレッシュフルーツのタルト → P.60

レイヤーケーキ → P.93

ほかにも、ケーキにのせたり添えたり、自由に楽しんで！

豆腐クリームを味がえ

身近な食材を加え、味にも色みにもバリエーションを。

ココア豆腐クリーム

基本の豆腐クリーム → P.62 全量にココアパウダー大さじ1を加えてハンドブレンダーで攪拌する。

ピーナッツ豆腐クリーム

基本の豆腐クリーム → P.62 全量にピーナッツバター（無糖）大さじ2を加えてハンドブレンダーで攪拌する。

抹茶豆腐クリーム

基本の豆腐クリーム → P.62 全量に抹茶大さじ1を加えてハンドブレンダーで攪拌する。

豆腐クリームのデコテクニック

豆腐クリームのいろいろな使い方を紹介します。

スプーンでのせる

よく混ぜてなめらかにしてから、器の中でスプーンに山盛りをのせる。マフィンなどの上にクリームをおくように、やさしくスプーンを離す。

絞り袋で絞る

絞り袋に好みの口金（写真は星型）を入れ、絞ってデコレーション。クリームはかためのほうがエッジが出やすいので、左ページ⌐で豆乳を加えすぎないように注意。

へらなどでぬる

クリームをのせ、なでるようにして模様をつける。小さめのゴムべらが使いやすい（スプーンでもOK）。

ぽってり

華やか

スタイリッシュ

さつまいものタルト

みんなが好きなおいものタルト。トッピングのクランブルには、シナモンパウダーを加えるのもおすすめ。

材料 直径18cmのタルト型（底が抜けるタイプ）1台分

- さつまいも … 400g

A
- 薄力粉 … 100g
- 全粒薄力粉 … 20g
- ココアパウダー … 15g
- てんさい糖 … 20g
- 塩 … 少々

B
- 植物油 … 50ml
- 無調整豆乳 … 30ml

C
- てんさい糖 … 10g
- メープルシロップ（または米飴）… 大さじ1
- ココナッツオイル … 大さじ½
- 無調整豆乳 … 大さじ1
- 塩 … 少々

- レーズン煮（またはレーズン）… 30g

クランブル
- 全粒薄力粉 … 20g
- アーモンドプードル … 10g
- てんさい糖 … 10g
- しょうがのすりおろし … 10g
- 植物油 … 大さじ1

- メープルシロップ … 少々
- ピスタチオ（細かく刻む）… 適量

準備

- レーズン煮は汁けをきる（レーズンを使う場合、かたければやわらかくもどす）。
- オーブンは170℃に予熱する。

作り方 作り方1~5はP.61の写真a~mも参照

1. ボウルにBを入れ、ゴムべらでよく混ぜる。

2. よく混ぜたAを加え、切るように混ぜる。手で大きく混ぜながらまとめ、まとまりづらければ、豆乳少々（分量外）を少しずつ足しながらまとめる。

3. オーブンシートに生地をのせ、めん棒で直径約22cmの円形にのばす。ときどき、オーブンシートごと回転させながらのばすと、均一に広がる。型よりもひと回り大きいくらいにのばすのが目安。

4. 生地をめん棒に巻きつけ、型を覆うように上にのせたら、型に沿わせて指でおさえながら敷き込む。余分な生地は型の上にめん棒をのせて転がし、切り取る。

5. 型の縁は指をあてながら整え、底は指で押しつける。フォークなどで全体に穴をあける。

6. 170℃のオーブンで15〜20分焼く。型ごと網にのせ、粗熱をとる(a)。

7. さつまいもは皮つきのまま、せいろなどでやわらかくなるまで蒸す。

8. 2のボウルについた生地をきれいにぬぐい、7の半量を入れ、熱いうちにフォークでなめらかになるまでつぶす。Cと準備したレーズン煮、残りの7を加え、さつまいもは粗めにつぶす。オーブンは温度を180℃に上げて予熱する。

> さつまいも生地のかたさは豆乳少々（分量外）、甘さはメープルシロップ少々（分量外）を少しずつ足しながら調整する。

9. 6のタルト台に8を敷き詰め(b)、ゴムべらなどで平らにならす。

10. 8のボウルをきれいにぬぐい、基本のクランブル → P.26 の作り方1〜5と同様にしてクランブルを作る。

11. 9の上に10をのせ(c)、タルト生地の縁にメープルシロップをかける(d)。

12. 180℃のオーブンで15〜20分焼く。粗熱がとれたら型からはずして皿にのせ、ピスタチオを散らす。

メープルナッツタルト

ナッツがぎっしりと詰まったリッチなおいしさ。ホールのアーモンドやピスタチオなど、好みのナッツで作って。

材料 長さ10.5×幅4.8cmのボート型7個分

A ・薄力粉 … 100g
　・全粒薄力粉 … 20g
　・てんさい糖 … 10g
・植物油 … 大さじ3
・無調整豆乳 … 20mℓ

B ・好みのナッツ (ここではくるみ、
　アーモンドスライス、ピーカンナッツ、
　かぼちゃの種などを使用)
　　… 合わせて120g
　・ブラウンシュガー … 大さじ3
　・メープルシロップ … 大さじ2
　・ココナッツオイル … 大さじ1½
　・無調整豆乳 … 小さじ1
　・塩 … 小さじ⅛ (0.75g)

準備

・好みのナッツは、130〜140℃の
　オーブンで約10分ローストし、
　大きなものは粗く刻む。
・オーブンは170℃に予熱する。

作り方

1. タルト台を作る。ボウルに **A** を入れ、植物油を広げるように入れ、ゴムべらで切るように混ぜる。豆乳を少しずつ加えて、手でゆっくりと大きく混ぜながらまとめる。

⚑ 生地を無理やりまとめようとしないのが、タルトをサクッと作るコツ。まとまりづらい場合は、豆乳少々（分量外）を少しずつ足しながら調整する。

2. ボウルの中で生地を7等分してだ円形にまとめ、オーブンシートにおき、それぞれめん棒で長さ約12×幅6cmのだ円形にのばす。型よりもひと回り大きいくらいにのばすのが目安。

3. 型を覆うように手で2の生地をのせ、型に沿わせて指でおさえながら敷き込む。縁からはみ出た生地は指で除く。型の縁は指をあてながら整え、底は指で押しつける。フォークなどで全体に穴をあける。

4. 天板にのせて間を少しあけて並べ、170℃のオーブンで15〜20分焼く。型ごと網にのせ、粗熱がとれたら型からはずし、オーブンシートを敷いた天板に間をあけて並べる(a)。オーブンは再び170℃に予熱する。

5. 2のボウルについた生地をきれいにぬぐい、**B** を入れて混ぜ、スプーンで4のタルト台にのせる(b)。170℃のオーブンで10分焼く。オーブンシートごと網にのせて粗熱をとる。

ミニトマトとじゃがいもと
ディルのキッシュ

→ P.71

マッシュルームと長ねぎと
オリーブのキッシュ

→ P.71

キッシュ台の作り方

重石（タルトストーン）などを使わずに焼くので、生地にはしっかりとフォークで穴をあけ、
ふくらまないようていねいに作りましょう。

材料 直径18cmのタルト型
（底が抜けるタイプ）1台分

A ・全粒薄力粉 … 70g
 ・強力粉 … 70g
 ・塩 … 小さじ⅓
・オリーブオイル … 50mℓ
・無調整豆乳 … 30mℓ

準備

・オーブンは180℃に予熱する。

作り方

1. ボウルにAを入れ、オリーブオイルを広げるように入れ、ゴムべらで切るように混ぜる。豆乳を少しずつ加えて(a)、手でゆっくりと大きく混ぜながらまとめる(b)。

> ⚐ 生地を無理やりまとめようとしないのが、キッシュをサクッと作るコツ。まとまりづらい場合は、豆乳少々（分量外）を少しずつ足しながら調整する。

2. オーブンシートに生地をのせ、めん棒で直径約22cmの円形にのばす(c)。ときどき、オーブンシートごと回転させながらのばすと、均一に広がる。型よりもひと回り大きいくらいにのばすのが目安。縁は割れやすいので、指でつなげながら整える(d)。

3. 生地をめん棒に巻きつけ、型を覆うように上にのせたら、型に沿わせて指でおさえながら敷き込む(e)。余分な生地は型の上にめん棒をのせて転がし、切り取る(f)。

4. 型の縁は指をあてながら整え(g)、底は指で押しつける。フォークなどで全体に穴をあける(h)。

5. 180℃のオーブンで20〜25分焼く。型ごと網にのせ、粗熱をとる(i)。

ミニトマトとじゃがいもとディルのキッシュ

ほくほくしたじゃがいもが主役。くるみとの相性も抜群です。

材料 直径18cmのタルト型
　　　（底が抜けるタイプ）1台分

- キッシュ台 → P.70 … 1台
- ミニトマト（横に輪切り）… 3〜4個
- じゃがいも（皮をむく）… 150g
- ディル … 3〜4本＋飾り用適量
- くるみ … 30g

A ・水きり豆腐
　　→ P.62の作り方3〜4 … 200g
- 無調整豆乳 … 100mℓ
- オリーブオイル … 大さじ2
- 葛粉 … 大さじ1
- 白みそ … 小さじ2
- 塩 … 小さじ1/3
- 塩 … 適量
- オリーブオイル … 適量

準備 ・オーブンは180℃に予熱する。

作り方

1. じゃがいもはせいろなどでやわらかく蒸し、一口大に切って軽く塩をふる。ディルは飾り用も一緒に枝からはずし、くるみは130〜140℃のオーブンで約10分ローストして粗く刻む。

2. ボウルにAを入れてハンドブレンダーでなめらかになるまで攪拌する。飾り用のディルを除く1を加えて、さっくりとあえる(a)。

3. キッシュ台に2をこんもりと盛り(b)、ミニトマトをのせる。ミニトマトの上に塩少々をふり、飾り用のディルをトマトの間にのせて、全体にオリーブオイル少々をかける(c)。

4. 180℃のオーブンで30分焼く。型ごと網にのせ、粗熱をとる。

マッシュルームと長ねぎとオリーブのキッシュ

長ねぎは、炒めて甘みを引き出すのがポイントです。

材料 直径18cmのタルト型
　　　（底が抜けるタイプ）1台分

- キッシュ台 → P.70 … 1台
- マッシュルーム … 2〜3個
- 長ねぎ … 200g
- オリーブ（塩漬け・種なし）… 50g

A ・水きり豆腐
　　→ P.62の作り方3〜4 … 200g
- 無調整豆乳 … 100mℓ
- オリーブオイル … 大さじ2
- 葛粉 … 大さじ1
- 白みそ … 小さじ2
- 塩 … 小さじ1/3
- オリーブオイル … 適量
- 塩 … 少々

準備 ・オーブンは180℃に予熱する。

作り方

1. マッシュルームは薄切りにする。長ねぎは斜め薄切りにし、オリーブオイル少々でさっと炒める。オリーブは横半分に切る。

2. ボウルにAを入れてハンドブレンダーでなめらかになるまで攪拌する。1の長ねぎとオリーブを加えてさっくりとあえる(a)。

3. キッシュ台に2をこんもりと盛り、マッシュルームをのせる。マッシュルームの上に塩をふり、全体にオリーブオイル少々をかける(b)。

4. 180℃のオーブンで30分焼く。型ごと網にのせ、粗熱をとる。

にんじんと
レーズンの
マフィン
→ P.76

サワーチェリー
クランブルマフィン
→ P.74

バナナチョコレートマフィン
→ P.77

サワーチェリー
クランブルマフィン

サワーチェリー煮の代わりに、
りんご煮やラズベリーマリネ（ともにP.27）を使ってもOK！

材料 直径7.5cmのマフィン型6個分

- サワーチェリー煮 → P.27 … 100g

A
- 薄力粉（ふるう）… 150g
- 全粒薄力粉（ふるう）… 75g
- アーモンドプードル … 45g
- てんさい糖 … 60g
- ベーキングパウダー … 小さじ2
- 塩 … ひとつまみ

B
- 水きり豆腐 → P.62の作り方3~4 … 120g
- 無調整豆乳 … 100mℓ
- 植物油 … 大さじ5
- メープルシロップ … 大さじ3

クランブル
- 全粒薄力粉 … 30g
- アーモンドプードル … 15g
- ココアパウダー … 10g
- てんさい糖 … 15g
- 植物油 … 大さじ1½

準備

- 型にグラシンカップを敷く。
- オーブンは180℃に予熱する。

作り方

1. クランブルは基本のクランブル → P.26 の作り方1〜5と同様にして作る（a、b）。

2. ボウルに A を入れ、ゴムべらで均一に混ぜる（c）。

3. B は計量カップなどに入れ、ハンドブレンダーでなめらかになるまで攪拌する（d）。

4. 2に3を入れ（e）、ゴムべらでさっくりと混ぜる。粉けが少し残っている状態でサワーチェリー煮を入れ（f）、混ぜる（g）。

5. 型にゴムべらで均等に入れ（h）、1のクランブルをのせる（i）。

6. 180℃のオーブンで30分焼く。竹串を刺して生地がつかなければ焼き上がり。網にのせて粗熱をとり、型からはずす。

にんじんとレーズンの
マフィン

せん切りにんじんがたっぷり入った野菜スイーツです。

材料 直径7.5cmのマフィン型6個分

- にんじん（2cm長さのせん切り）… 100g
- レーズン煮 → P.27 … 30g
- ピーカンナッツ … 30g

A
- 薄力粉（ふるう）… 200g
- アーモンドプードル … 60g
- てんさい糖 … 40g
- シナモンパウダー … 小さじ1
- ジンジャーパウダー … 小さじ½
- ナツメグパウダー … 小さじ½
- ベーキングパウダー … 小さじ2
- 塩 … ひとつまみ

B
- 無調整豆乳 … 200㎖
- 植物油 … 大さじ6
- メープルシロップ … 大さじ2

準備

- レーズン煮は軽く汁けをきる。
- ピーカンナッツは130〜140℃のオーブンで約10分ローストし、粗く刻む。
- 型にグラシンカップを敷く。
- オーブンは180℃に予熱する。

作り方

1. ボウルにAを入れ、ゴムべらで均一に混ぜる。

2. よく混ぜたBを加え、さっくりと混ぜる。粉けが少し残っている状態でにんじん、準備したレーズン煮、ピーカンナッツを入れて混ぜる。

3. 型にゴムべらで均等に入れる。

4. 180℃のオーブンで25〜30分焼く。竹串を刺して生地がつかなければ焼き上がり。網にのせ粗熱をとり、型からはずす。

[デコアイディア]

にんじんとレーズンのマフィンに
基本の豆腐クリーム → P.62 適量をスプーンで
ひとすくいのせ、シナモンパウダー適量をふる。

バナナチョコレート
マフィン

バナナの甘みと水分でしっとり。みんなに愛される味わいです。

材料 直径7.5cmのマフィン型6個分

- バナナ … 80g（正味）
- チョコレートチャンク … 60g

A
- 薄力粉（ふるう）… 150g
- 全粒薄力粉（ふるう）… 75g
- アーモンドプードル … 45g
- てんさい糖 … 40g
- ベーキングパウダー … 小さじ2
- 塩 … ひとつまみ

B
- バナナ … 100g（正味）
- 水きり豆腐 → P.62の作り方3〜4 … 120g
- 無調整豆乳 … 50mℓ
- 植物油 … 大さじ5
- メープルシロップ … 大さじ3

C
- ココナッツフレーク … 大さじ3
- 米飴 … 適量

準備

- バナナ80gは5mm厚さの輪切りにする。
  Bのバナナは長さを3〜4等分する。
- Cはココナッツフレークに米飴が絡まる程度にあえる。
- 型にグラシンカップを敷く。
- オーブンは180℃に予熱する。

作り方

1. ボウルにAを入れ、ゴムべらで均一に混ぜる。

2. 準備したBのバナナと残りのBは計量カップなどに入れ、ハンドブレンダーでなめらかになるまで撹拌する。

3. 1に2を入れ、ゴムべらでさっくりと混ぜる。粉けが少し残っている状態で輪切りにしたバナナとチョコレートチャンクを入れ、混ぜる。

4. 型にゴムべらで均等に入れ、準備したCをのせる。

5. 180℃のオーブンで30分焼く。竹串を刺して生地がつかなければ焼き上がり。網にのせて粗熱をとり、型からはずす。

···· デコアイディア

バナナチョコレートマフィンに
基本のアイシング → P.43下 適量を
スプーンで線状に細くかける。

ガトーショコラ

本格的なガトーショコラも、混ぜて焼くだけ！ 溶かしチョコレートで素敵に仕上げて。

材料 直径15cmの丸型（底が抜けるタイプ）1台分

A
- ・薄力粉（ふるう）… 80g
- ・ココアパウダー（ふるう）… 50g
- ・アーモンドプードル … 50g
- ・てんさい糖 … 55g
- ・ベーキングパウダー … 小さじ1½
- ・塩 … ひとつまみ

B
- ・カカオマス … 25g
- ・水きり豆腐 → P.62の作り方3~4 … 80g
- ・無調整豆乳 … 80㎖
- ・りんごジュース … 40㎖
- ・メープルシロップ … 大さじ2½
- ・植物油 … 大さじ3
- ・ラム酒 … 大さじ½
- ・チョコレート … 40g

準備

- ・Bのカカオマスは湯せんで溶かす。
- ・型にオーブンシートを敷く。
- ・オーブンは170℃に予熱する。
- ・チョコレートは湯せんで溶かす。

作り方

1. ボウルにAを入れ、ゴムべらで均一に混ぜる。

2. 準備したBのカカオマスと残りのBは計量カップなどに入れ、ハンドブレンダーでなめらかになるまで攪拌する。

3. 1に2を加え、さっくりと混ぜ合わせて型に入れる。

4. 170℃のオーブンで25～30分焼く。竹串を刺して生地がつかなければ焼き上がり。型ごと網にのせ、粗熱をとる。

5. 型からはずして皿に盛り、準備した溶かしチョコレートをスプーンでかける。

····· デコアイディア

ガトーショコラを食べやすく切って
皿に盛り、基本の豆腐クリーム → P.62 適量を
スプーンですくって添える。

バナナケーキ

バナナを約2本使ったバナナケーキ。クリームを絞ったら、贈り物にも！

材料 直径15cmの丸型（底が抜けるタイプ）1台分

- バナナ … 150g（正味）＋飾り用½本
- A
  - 薄力粉（ふるう）… 140g
  - 全粒薄力粉（ふるう）… 40g
  - アーモンドプードル … 60g
  - てんさい糖 … 10g
  - ベーキングパウダー … 小さじ1½
  - シナモンパウダー … 小さじ½
  - 塩 … ひとつまみ
- B
  - 無調整豆乳 … 70mℓ
  - メープルシロップ … 大さじ4
  - 植物油 … 大さじ3
  - ラム酒 … 大さじ1
- くるみ … 20g＋飾り用3〜4粒
- メープルシロップ … 適量

準備

- くるみは、飾り用も一緒に130〜140℃のオーブンで約10分ローストし、粗く刻む。
- 型にオーブンシートを敷く。
- オーブンは180℃に予熱する。

作り方

1. ボウルにAを入れ、ゴムべらで均一に混ぜる。

2. バナナ150gはフォークで粗くつぶし、Bを加えてよく混ぜ合わせる。

> 甘さはバナナの熟し加減に合わせ、てんさい糖少々（分量外）で調整する。

3. 1に2を入れてさっくりと混ぜ合わせ、粉けが少し残っている状態で準備したくるみ20gを混ぜる。

4. 型に入れ、皮をむいて縦半分に切った飾り用のバナナをのせ、メープルシロップをぬる。飾り用のくるみを散らして、180℃のオーブンで30〜35分焼く。竹串を刺して生地がつかなければ焼き上がり。

5. 型ごと網にのせ、粗熱をとる。型からはずして皿に盛り、食べやすく切る。

| デコアイディア | （右ページ写真奥）

バナナケーキの上に、ピーナッツ豆腐クリーム → P63 適量を星型の口金で絞る。

クランベリーパウンドケーキ

しっとりとした食感が特徴のシンプルなパウンドケーキ。ドライフルーツやナッツは、好みにアレンジして。

材料 8×15×高さ6cmのパウンド型1台分

- クランベリーマリネ → P.27 … 40g
- グリーンピスタチオ … 5g
- A
  - 薄力粉（ふるう）… 80g
  - 全粒薄力粉（ふるう）… 40g
  - アーモンドプードル … 70g
  - てんさい糖 … 40g
  - ベーキングパウダー … 小さじ1
  - 塩 … ひとつまみ
- B
  - 無調整豆乳 … 80㎖
  - メープルシロップ … 大さじ3
  - 植物油 … 大さじ2

準備

- クランベリーマリネは汁けをきり、
  グリーンピスタチオとともに粗く刻む。
- 型にオーブンシートを敷く。
- オーブンは170〜180℃に予熱する。

作り方

1. ボウルにAを入れ、ゴムべらで均一に混ぜる。

2. よく混ぜたBを加え、切るようにさっくりと混ぜる。粉けが少し残っている状態で準備したクランベリーマリネ、ピスタチオを入れて混ぜる。

3. 型に入れ、170〜180℃のオーブンで約30分焼く。竹串を刺して生地がつかなければ焼き上がり。

4. 型ごと網にのせて粗熱をとり、型からはずして冷ます。食べやすく切って皿に盛る。

····· デコアイディア

クランベリーパウンドケーキに基本の豆腐クリーム → P.62
適量をスプーンでひとすくいずつのせ、
上に汁けをきったクランベリーマリネ → P.27 適量を飾り、
刻んだグリーンピスタチオ適量を散らす。
仕上げに、てんさい糖適量をすり鉢で細かくなるまで
すって粉糖を作り、上から茶こしでふりかける。

レモンパウンドケーキ

アイシングをかければ、フランスの焼き菓子 〝ウィークエンド・シトロン〟に！

材料 8×15×高さ6cmのパウンド型1台分

- レモンの皮 (せん切り) … 1個分
- A
  - 薄力粉 (ふるう) … 120g
  - アーモンドプードル … 70g
  - てんさい糖 … 40g
  - ベーキングパウダー … 小さじ1
- B
  - 無調整豆乳 … 70㎖
  - メープルシロップ … 大さじ3
  - 植物油 … 大さじ2
  - レモン汁 … 大さじ2

準備

- 型にオーブンシートを敷く。
- オーブンは170～180℃に予熱する。

作り方

1. ボウルに A を入れ、レモンの皮を加え、ゴムべらで均一に混ぜる。

2. よく混ぜた B を加え、さっくりと混ぜ合わせる。

3. 型に入れ、170～180℃のオーブンで25～30分焼く。竹串を刺して生地がつかなければ焼き上がり。

4. 型ごと網にのせて粗熱をとり、型からはずして冷ます。食べやすく切って皿に盛る。

| デコアイディア | （右ページ写真下）

レモンパウンドケーキに、レモンアイシング → P.43下※ の3倍量を小さめのゴムべらでのせ、レモンの皮のすりおろし適量を飾る。

ココナッツケーキ

豆腐クリームとジャムをはさんで、人気のヴィクトリアケーキにアレンジ！

材料 直径15cmの丸型（底が抜けるタイプ）1台分

A
- 薄力粉（ふるう）… 150g
- アーモンドプードル … 40g
- ココナッツフレーク … 30g
- てんさい糖 … 20g
- ベーキングパウダー … 小さじ1½
- 塩 … ひとつまみ

B
- 無調整豆乳 … 150mℓ
- メープルシロップ … 大さじ2
- ココナッツオイル（または植物油）
  … 大さじ2

- ココナッツフレーク（飾り用）… 適量

準備

- 型にオーブンシートを敷く。
- オーブンは180℃に予熱する。

作り方

1. ボウルにAを入れ、ゴムべらで均一に混ぜる。

2. よく混ぜたBを加え、さっくりと混ぜ合わせる。

3. 型に入れて飾り用のココナッツフレークをふり、180℃のオーブンで20〜25分焼く。竹串を刺して生地がつかなければ焼き上がり。

4. 型ごと網にのせて粗熱をとり、型からはずして皿に盛る。

[デコアイディア]

ココナッツケーキを横半分に切り、下側のケーキの上に基本の豆腐クリーム → P.62 適量をぬり、ラズベリーマリネ → P.27 適量（鍋に入れてつぶしながら、軽く加熱してソース状にしたもの）をのせる。上側のケーキをのせてはさみ、食べやすく切る。仕上げに、てんさい糖適量をすり鉢で細かくなるまですって粉糖を作り、上から茶こしでふりかける。

※好みのクリームやフルーツでケーキの上を飾ってもOK。

ココアクリームサンド

→ P.93

レイヤーケーキ
→ P.93

シートスポンジケーキの作り方

いろいろなケーキにアレンジ自在の、シート状のスポンジケーキです。

材料 23×17cmの耐熱バット1個分

A
- 薄力粉 (ふるう) … 80g
- 全粒薄力粉 (ふるう) … 20g
- アーモンドプードル … 20g
- てんさい糖 … 10g
- ベーキングパウダー … 小さじ1
- 塩 … ひとつまみ

B
- 無調整豆乳 … 100㎖
- 植物油 … 大さじ2
- メープルシロップ … 大さじ2
- りんごジュース … 大さじ2

準備

- バットにオーブンシートを敷く。
- オーブンは180℃に予熱する。

作り方

1. ボウルに A を入れ、ゴムべらで均一に混ぜる (a)。

2. よく混ぜた B を加え (b)、切るようにさっくりと混ぜる。ダマになった部分はゴムべらでつぶす (c)。

3. バットに流し入れ (d)、平らにならす (e)。テーブルに型ごと一度落とし、空気を抜く (f)。

4. 180℃のオーブンで15分焼く。竹串を刺して生地がつかなければ焼き上がり。

できればオーブンの上段で、あれば天板を2枚重ねて焼くと、やわらかく火が入り、しっとりと仕上がる。

5. 型ごと網にのせ (g)、粗熱がとれたらオーブンシートごとバットからはずし、ビニール袋に入れて冷ます (h)。

ココアクリームサンド

スポンジに豆腐クリームをサンド! 好みの味に仕上げて。

材料 シートスポンジケーキ1枚分

- シートスポンジケーキ → P.92 … 1枚
- ココア豆腐クリーム → P.63 … 3倍量
- てんさい糖 … 適量

準備

- シートスポンジケーキはビニール袋と
  オーブンシートをはがす。
  はがしたオーブンシートの上に
  スポンジケーキを戻し、シートごと
  ラップの上にのせる。
- てんさい糖はすり鉢で細かくなるまで
  すって粉糖を作る。

作り方

1. 準備したシートスポンジケーキは横長におき、手前側と奥側を指で軽く押して少しへこませる(a)。

2. 生地の縁を1cmくらい残してココア豆腐クリームをぬり(b)、生地を縦におきかえ両手でオーブンシートごと持ち、左右から包み込むように生地をよせる(c)。生地の両端を合わせてクリップなどでオーブンシートを留めて(d)、冷蔵庫に30分ほどおいてクリップをはずす。

3. 2をオーブンシートごとラップで二重に巻き、形を整え、冷蔵庫にさらに30分ほど入れてなじませる。食べやすい大きさに切り、準備した粉糖を茶こしでふる。

 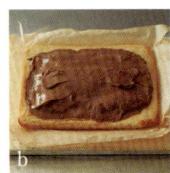 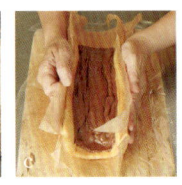 

レイヤーケーキ

バースデーケーキにもぴったり。スポンジを半分に切って二段でも。

材料 シートスポンジケーキ1枚分

- シートスポンジケーキ → P.92 … 1枚
- 基本の豆腐クリーム → P.62 … 2倍量
- 好みのベリー (ここではいちご、ラズベリー、
  ブルーベリー、レッドカラントを使用) … 適量
- てんさい糖 … 適量

準備

- シートスポンジケーキはビニール袋と
  オーブンシートをはがし、
  端は切り落とし、横3等分に切る。
- てんさい糖はすり鉢で細かくなるまで
  すって粉糖を作る。

作り方

1. 準備したシートスポンジケーキ1枚を皿などにのせて豆腐クリーム適量をぬり(a)、ベリー適量をのせる。さらに豆腐クリーム適量をぬり(b)、シートスポンジケーキを1枚のせる(c)。

2. 1をくり返し、一番上にはベリー類を美しく飾り、準備した粉糖を茶こしでふる。

アーモンドケーキ

アーモンドプードルをふんだんに使用した、リッチな焼き菓子です。

材料 6.5×12×高さ2cmの木の葉型7個分

A
- 薄力粉 (ふるう) … 50g
- アーモンドプードル … 200g
- てんさい糖 … 50g
- バニラビーンズ … 2cm
- ベーキングパウダー … 小さじ½
- 塩 … ひとつまみ

B
- 無調整豆乳 … 120㎖
- 植物油 … 大さじ3
- メープルシロップ … 大さじ2
- レモン汁 … 大さじ1

準備

- オーブンは170℃に予熱する。

作り方

1. ボウルにAを入れ、ゴムべらで均一に混ぜる。

2. よく混ぜたBを加え、さっくりと混ぜ合わせて型に入れる。

3. 2を天板に並べて、170℃のオーブンで20分、温度を160℃に下げて10分焼く。竹串を刺して生地がつかなければ焼き上がり。

4. 型ごと網にのせて粗熱をとり、型からはずして皿に盛る。

| デコアイディア | （右ページ写真上）

アーモンドケーキの横に基本の豆腐クリーム → P.62 適量、サワーチェリー煮 → P.27 適量をスプーンですくって添える。

抹茶とアプリコットのケーキ

香り高い抹茶味とアプリコットの酸味が相性抜群です。

材料 8×15×高さ6cmのパウンド型1台分

- ・アプリコットマリネ →P.27 … 50g
- A │ ・薄力粉 (ふるう) … 100g
- │ ・全粒薄力粉 (ふるう) … 20g
- │ ・アーモンドプードル … 60g
- │ ・てんさい糖 … 40g
- │ ・抹茶 … 大さじ1½
- │ ・ベーキングパウダー … 小さじ1
- B │ ・無調整豆乳 … 100ml
- │ ・植物油 … 大さじ3
- │ ・メープルシロップ … 大さじ2
- ・アーモンドスライス … 適量

準備

- ・アプリコットマリネは汁けをきる。
- ・型にオーブンシートを敷く。
- ・オーブンは180℃に予熱する。

作り方

1. ボウルに A を入れ、ゴムべらで均一に混ぜる。

2. よく混ぜた B を加え、さっくりと混ぜ合わせる。粉けが少し残っている状態で準備したアプリコットマリネを混ぜる。

3. 型に入れ、アーモンドスライスをのせ、180℃のオーブンで20〜25分焼く。竹串を刺して生地がつかなければ焼き上がり。

4. 型ごと網にのせて粗熱をとり、型からはずして皿に盛る。

デコアイディア （右ページ写真下）

抹茶とアプリコットのケーキの上に、抹茶豆腐クリーム →P.63 適量をぬり、アーモンドスライス適量をのせる。

プラムのスクエアケーキ

プラムのきれいな色を生かすために、皮つきのまま焼き込んで。季節のフルーツでどうぞ。

材料 18×18×高さ6cmのスクエア型1台分

- プラム … 3個
- A
  - 薄力粉（ふるう）… 150g
  - アーモンドプードル … 100g
  - てんさい糖 … 50g
  - ベーキングパウダー … 小さじ2
- B
  - 無調整豆乳 … 150ml
  - 植物油 … 大さじ5
- クランブル
  - 薄力粉 … 40g
  - アーモンドプードル … 20g
  - てんさい糖 … 20g
  - 植物油 … 大さじ2
- てんさい糖 … 適量

準備

- 型にオーブンシートを敷く。
- オーブンは180℃に予熱する。
- てんさい糖はすり鉢で細かくなるまですって粉糖を作る。

作り方

1. クランブルは基本のクランブル → P.26 の作り方1～5と同様にして作る。

2. プラムは皮つきのまま縦2つ割りにして種を取り、1cm幅のくし形に切る。

3. ボウルにAを入れ、ゴムべらで均一に混ぜる。

4. よく混ぜたBを加え、さっくりと混ぜ合わせる。

5. 型に入れ、2のプラムと1のクランブルを全体にのせる。

6. 180℃のオーブンで約30分焼く。竹串を刺して生地がつかなければ焼き上がり。

7. 型ごと網にのせて粗熱をとり、型からはずして冷ます。準備した粉糖を茶こしでふり、食べやすく切る。

おすすめ 材料集

この本で使用する基本の材料 (P.6) 以外でおすすめする、植物性の材料を紹介します。
＊マークの商品は下記取り扱い店にて通販で購入できます。

＊ 取り扱い店：TOMIZ（富澤商店）
製菓・製パン材料のほか、ナチュラルな食材も豊富に扱う材料と道具の専門店。
https://tomiz.com/

□ 粉類

本書は、全粒粉や薄力粉のレシピを中心に紹介していますが、強力粉や米粉を使うこともあります。片栗粉やコーンスターチなどはでんぷん質が豊富で、本葛はとろみをつけたいときに加えます。

 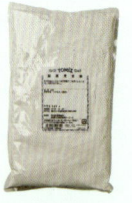   

国産強力粉 春よ恋＊ / 製菓用米粉＊ / 片栗粉 / コーンスターチ / 本葛

   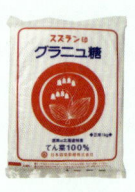 

ブラウンシュガー / きび砂糖 / 有機アガベシロップ GOLD＊ / スズラン印 グラニュー糖＊ / 玄米甘酒

□ 甘み

コクを出したいときにはブラウンシュガーやきび砂糖、玄米甘酒を使います。メキシコに群生する植物〝アガベ〟からとれるアガベシロップもおすすめ。自然由来の甘みが特徴です。粉糖の代わりには、グラニュー糖（てんさい100％）をすって使用。

□ 香り・風味づけ

バニラビーンズは甘い香りをつけたいときに。抹茶パウダーやインスタントコーヒーなどがあれば、味にバリエーションが広がります。ラム酒などのお酒は好みで加えて。ごまのコクは、ヴィーガンのおやつにぴったりです。

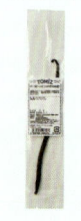    

バニラビーンズ（マダガスカル産）＊ / 抹茶パウダー / インスタントコーヒー / ラム酒 / 練りごま

カカオマス / チョコチップ / 板チョコレート / ココアパウダー

□ カカオ

カカオマスやチョコチップは焼き菓子などの生地に加えます。板チョコレートは白砂糖や乳製品を使っていない、植物性100％のものを選びましょう。ココアパウダーも同様です。なお、チョコレートチャンクは、板チョコレートを粗く刻んで使ってもOK。

□ ナッツ

ヴィーガンおやつにコクとうまみ、食感を加えてくれます。ピスタチオ、アーモンド、ピーカンナッツ、くるみ、マカダミアナッツ、カシューナッツなど、好みのナッツを使いましょう。キャロブは豆科のいなご豆で、チョコレートやココアの代用品として注目されている、カフェインフリーの食材です。

皮無生ピスタチオ
（スーパーグリーン）＊

生アーモンド
スライス＊

キャロブ
チップス

皮付
生ヘーゼルナッツ＊

アーモンド

ピーカンナッツ
ロースト＊

有機くるみ＊

生マカデミアナッツ
（中粒）＊

生カシューナッツ＊

ピーナッツバター

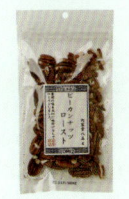

□ スパイス

カルダモン、シナモン、ジンジャー、ナツメグ、クローブなどのスパイスはお菓子にもよく合い、風味や香りを加えてくれます。お菓子作りには、パウダータイプが◎。できるだけ、オーガニックのものがおすすめ。

カルダモン
パウダー

シナモン
パウダー

ジンジャー
パウダー＊

ナツメグ
パウダー＊

クローブ
パウダー

□ ドライフルーツ

レーズンやアプリコット、クランベリーなどのドライフルーツは、お菓子をよりリッチにしてくれます。お酒に漬けて使用すると、ぐっと大人っぽい味に。できるだけ、漂白されていない、ノンオイルコーティングのものを選びましょう。

レーズン

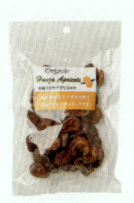
アプリコット

クランベリー

□ 穀類・ココナッツ

オーツ麦のみ使用した有機栽培のオートミールは、食物繊維や鉄分が豊富で栄養バランスに優れています。ココナッツは、チップスタイプとフレークタイプがあり、トッピングにも◎。クリーミーなココナッツミルクのほか、香りがしないタイプのココナッツオイルも使います。

オートミール

ココナッツ
チップス

ココナッツフレーク
（ファイン）

AYAM
ココナッツ
ミルク＊

ココナッツ
オイル

RECOMMENDED INGREDIENTS

今井ようこ
YOKO IMAI

製菓学校を卒業後、(株)サザビーリーグに入社。アフタヌーンティー・ティールームの商品企画・開発を担当し、2003年に独立。現在は、商品開発やメニュー開発、パン・ケーキの受注生産を手がけるほか、マクロビオティックをベースにした料理とお菓子の教室「roof」を主宰。著書に『しぜんなおかし』(NHK出版)、『ふんわり、しっとり 至福の米粉スイーツ』(家の光協会)、『ふわふわマフィンとくるくるスコーン』(主婦と生活社)、『バター・卵なしのやさしいパウンドケーキ』(河出書房新社)、『夢をかなえるノンシュガーパフェ』(主婦の友社)など。

撮影	邑口京一郎
デザイン	千葉佳子 (kasi)
スタイリング	駒井京子
構成・取材・文	長嶺李砂
校正・DTP	かんがり舎
PD	栗原哲朗 (図書印刷)
アシスタント	井上律子
撮影協力	・UTUWA
	・TOMIZ (富澤商店)
	TEL：042-776-6488
	https://tomiz.com/
編集長	山口康夫 (MdN)
企画編集	若名佳世 (MdN)

卵・乳製品・白砂糖を使わない
体にやさしいおやつ

まいにち食べたい ヴィーガンスイーツ

2019年12月12日　第1版第1刷発行
2022年4月4日　第1版第3刷発行

著者	今井ようこ
発行人	山口康夫
発行	株式会社エムディエヌコーポレーション
	〒101-0051
	東京都千代田区神田神保町一丁目105番地
	https://books.MdN.co.jp/
発売	株式会社インプレス
	〒101-0051
	東京都千代田区神田神保町一丁目105番地
印刷・製本	図書印刷株式会社

Printed in Japan
©2019 Yoko Imai. All rights reserved

【カスタマーセンター】
造本には万全を期しておりますが、万一、落丁・乱丁などがございましたら、送料小社負担にてお取り替えいたします。お手数ですが、カスタマーセンターまでご返送ください。

◎落丁・乱丁本などのご返送先
〒101-0051 東京都千代田区神田神保町一丁目105番地
株式会社エムディエヌコーポレーション　カスタマーセンター
TEL：03-4334-2915

◎内容に関するお問い合わせ先
info@MdN.co.jp

◎書店・販売店のご注文受付
株式会社インプレス　受注センター
TEL：048-449-8040／FAX：048-449-8041

ISBN 978-4-295-20317-9
C2077